PANDI MARIN

texte et images de

Oda Taro

Éditions Gamma - Les Éditions École Active
Paris - Tournai - Montréal

— Que la mer est grande !
Jusqu'où va-t-elle ?
Est-ce que vous le savez,
vous autres ?
demande Pandi aux mouettes.
Mais elles ne lui répondent
pas.

— Ohé ! c'est pour moi
ce poisson ? crie Pandi.
Mais la mouette s'envole
en emportant
le poisson dans son bec.

« Tiens, je vais faire
comme elle.
Je vais pêcher, moi aussi. »
Ça mord vite...
et ça pèse lourd !
« Sûrement un poisson
énorme ! » pense Pandi.

Drôle de poisson !
Mais Pandi est content.
« J'avais besoin
d'une bouée de sauvetage.
Maintenant,
je me moque des tempêtes.
Le bateau peut couler,
je ne me noierai pas. »

« Qu'il fait chaud aujourd'hui !
Je vais attacher mon tricot
en haut du mât.
Il me servira de drapeau.
Les bateaux me verront
de loin. »

« Voilà qui est fait. Ouf !...
C'est dur, la vie de marin. »

Pandi surveille
la mer avec sa longue-vue.
« Si je pouvais croiser
un bateau rempli
de bonnes bananes...
HMMM ! »

« En voilà un ! »
— Ohé ! Ohé !
Pandi agite son béret.
Mais le navire poursuit
sa route sans s'arrêter.

« Ils ne m'ont pas vu !
Mon drapeau n'a servi à rien.
Je reste tout seul
sur la mer immense. »

Pandi est un bon marin.
Il continue à surveiller la mer.
Et voilà que soudain,
dans sa longue-vue,
il aperçoit... la terre !

— Terre ! Terre !
Hourra ! Hourra !
Pandi danse de joie.
La mer est moins immense
qu'il ne pensait...

Après son long voyage
en mer, Pandi va enfin
descendre à terre.

Quel bonheur de pouvoir
à nouveau marcher
sur le sable !
Le soleil luit toujours
très haut dans le ciel.
Et le vieux bateau,
qui ne navigue plus
depuis longtemps, attend
patiemment d'autres
aventures.

JEU

Quatre dessins représentent
les saisons.
Dans lequel placeras-tu
chacun des personnages dessinés ?
Regarde bien ce qu'ils font
et comment ils sont habillés !